Könige und Kaufleute, Priester und Gelehrte, Ordensfrauen und Marktweiber, Staatsmänner und Abenteurer – sie alle haben sich in Aachen wohlgefühlt und der Stadt ihren Stempel aufgeprägt.

Seit Kelten und Römer die heißen Quellen von Aquisgranum nutzten, seit Karl der Große hier seine Residenz baute und die Pilger des Mittelalters in der Grabkirche des Kaisers beteten, hat sich zwar viel am Bild der Stadt verändert. Autobahnstränge, Großklinikum, Technische Hochschule und moderne Fabriken, in denen Reifen, Bildröhren oder Schienenfahrzeuge hergestellt werden, sind Signale einer neuen Zeit. Aber was die Stadt liebenswert macht und ihr neben dem Ruf der sprudelnden Vielfalt das Flair der Behaglichkeit und Wohnlichkeit eingetragen hat, ist ihr behutsamer Umgang mit dem Erbe der Vergangenheit. Die Lebensfreude der Aachener und ihr Ja zur Gegenwart stehen auf festem Grund. Davon legt dieses Buch in beredten Bildern Zeugnis ab.

Kings and merchants, priests and scholars, nuns and market women, statesmen and adventurers – they have all felt at home in Aachen and made their mark on the city.

Since Celts and Romans used the hot springs of Aquisgranum, since Charlemagne built his residence here and the pilgrims of the Middle Ages prayed in the burial church of the Kaiser, much has changed in the appearance of the city. The highway network, large clinic, Technical College and modern factories in which tires, picture tubes and track vehicles are manufactured are signals of a new era. But what makes the city so endearing and has given it, in addition to the reputation of sparkling variety, an air of pleasantness and cosiness is its careful handling of the heritage of the past. The joie de vivre of the people of Aachen and their affirmation of the present stand on firm ground. This book documents that with eloquent pictures.

Rois et commerçants, prêtres et lettrés, religieuses et vendeuses au marché, hommes d'état et aventuriers – tous séjournèrent volontiers à Aix-la-Chapelle et ont laissé leur empreinte sur la ville.

Depuis que les Celtes et les Romains firent usage des sources chaudes d'Aquisgranum, depuis que Charlemagne construisit ici sa résidence et que les pélerins du Moyen Age priaient dans l'église de la tombe de l'empereur, l'aspect de la ville a beaucoup changé, il est vrai. Réseaux d'autoroutes, Großklinikum, Technische Hochschule, usines modernes dans lesquelles des pneus, des tuyaux, des wagons sont fabriqués, caractérisent des temps nouveaux. Ce qui rend la ville aimable, cependant, et lui donne un air cordial et agréable à habiter – à côté de l'exubérante diversité – ce sont les égards avec lesquels elle traite son héritage historique. La joie de vivre des habitants d'Aix-la-Chapelle et leur affirmation du présent reposent sur une base solide. Les éloquentes images de ce livre en témoignent.

3

Aachen

Schilgen · Richter

Fotos:
Jost Schilgen
Fotos Seite 4, 15, 19, 20, 22, 23, 36, 37, 38:
Martin Lux
Titel: Andreas Herrmann

Text:
Wolfgang Richter

Übersetzungen:
Englisch: Michael Meadows
Französisch: Mireille Patel

 Mayersche Buchhandlung, Aachen

Aachen 1995

Printed in Germany

ISBN 3-87519-131-5

Titelbild:
Der Aachener Dom mit gotischer Chorhalle,
karolingischem Kuppelbau und Westturm.

Rund um Markt und Rathaus

Hier pulsiert das Herz der Stadt: Auf dem Marktplatz vor dem Rathaus steht Kaiser Karl in Bronze über der Brunnenschale im Angesicht des gotischen Eckbaus Haus Löwenstein (links). An das Rathaus angefügt, vermittelt der „Postwagen" gastliche Altstadt-Atmosphäre (rechts).

The heart of the city beats here: At the marketplace in the front of the Town Hall stands Charlemagne in bronze above the fountain facing the Gothic corner house called Haus Löwenstein (left). "Postwagen", an addition to the Town Hall, conveys hospitable Old Town atmosphere (right).

C'est ici que bat le cœur de la ville: sur la place du marché, devant l'hôtel de ville. La statue de bronze de Charlemagne se dresse au-dessus de la vasque de la fontaine et fait face à maison gothique Löwenstein (à gauche). Le «Postwagen» (à droite) adjacent à l'hôtel de ville est empreint de l'atmosphère hospitalière des vieilles villes.

Fast ein Volksfest: Der Markt der Kunsthand-werker auf dem Katschhof vor der großartigen Fassade des gotischen Rathauses (links). Auf dem Hof (oben rechts) bilden der römische Portikus und die klassizistische Fassade des ehemaligen Quirinusbades eine historische Kulisse.

Almost a public festival: The Craftsmen's Market at Katschhof in front of the magnificent facade of the Gothic Town Hall (left). In the courtyard (top right) the Roman columned entrance hall and the classicist facade of the former Quirinus Baths form a historical setting.

Presque une fête populaire: le marché des artisans sur le Katschhof, devant la magnifique façade de l'hôtel de ville gothique (à gauche). Sur le Hof (en haut, à droite) le Portikus romain et la façade de style classique de l'ancien bain Quirinus forment un décor historique.

Altstadtromantik im Schatten des Doms. An mittelalterliche Handwerkertradition erinnert die Körbergasse. Die einstigen Korbflechterfamilien sind ausgestorben. Aber Korbwaren werden hier immer noch verkauft, auch wenn sie von weit her importiert werden müssen.

Old Town romanticism in the shadow of the cathedral. Körbergasse reminds one of medieval craftsmen's tradition. The former basket-making families have died out. But basket wares are still sold here, even though they have to be imported from far away.

A l'ombre de la cathédrale, la vieille ville romantique. La Körbergasse rappelle les traditions artisanales du Moyen Age. Les familles de vanniers de jadis se sont éteintes. L'on vend quand même ici des paniers, même s'ils doivent être importés de lointains pays.

Auf dem „kleinen Münsterplatz" am Dom, von dem aus das Spitzgäßchen zum Fischmarkt führt, läßt sich im Sommer herrlich tafeln und schwafeln …

At the "small Münsterplatz" at the cathedral, from where Spitzgäßchen leads to the fish market, it is marvelous to dine and chat in the summer …

Au pied de la cathédrale, sur la «petite Münsterplatz» d'où part la Spitzgäßchen menant au marché au poisson, il fait bon se restaurer et bavarder.

Die beweglichen Bronzefiguren des Puppenbrunnens am Fuß der Krämerstraße – Prälat und Marktfrau, Tänzerin und Harlekin, Reitersmann und Professor – symbolisieren Aachener Leben.

The moving bronze figures of "Puppenbrunnen" at the foot of Krämerstraße – prelate and market woman, dancer and harlequin, horseman and professor – symbolize life in Aachen.

Les figures de bronze mobiles du Puppenbrunnen, au pied de la Krämerstraße – prélat, vendeuse au marché, danseuse, arlequin, cavalier et professeur symbolisent la vie d'Aix-la-Chapelle.

Einkaufsbummel in der City. Durch kluge Kanali-
sierung des Autoverkehrs wurden Geschäftszen-
tren wie die Adalbertstraße in der Innenstadt zu
einem Paradies für Fußgänger.

A shopping stroll downtown. By cleverly channel-
ling traffic, shopping centers such as in Adalbertstraße in the center have been transformed into a
paradise for pedestrians.

Emplettes dans le centre-ville. La circulation
automobile ayant été fort habilement canalisée,
les zones commerçantes, comme celle de la
Adalbertstraße, devinrent und paradis pour les
piétons.

Stadt der Brunnen und Denkmäler

Aachens sprudelnde Vielfalt drückt sich nicht zuletzt in der erstaunlichen Fülle an Brunnen und Denkmälern aus. Zu den originellsten Brunnen der Innenstadt gehört der „Kreislauf des Geldes" nahe dem Münsterplatz.

Aachen's sparkling variety is not least of all expressed in its astonishing abundance of fountains and monuments. The "Circulation of Money" near Münsterplatz is one of the most original fountains in the inner city.

L'exubérante diversité d'Aix-la-Chapelle s'exprime également dans l'étonnante abondance de fontaines et de monuments. L'une des fontaines les plus originales du centre-ville est celle de la «Circulation de l'Argent» près de la Münsterplatz.

Aachener Leben in Bronze und Holz (von oben links bis unten rechts): Lesende, Klenkes-Gruppe, Kehrmann, Puppenbrunnen, Figuren auf dem Suermondtplatz, Pferdegruppe und Türelüre-Lißje-Brunnen – ein Spiegel der Volksseele.

Aachen life in bronze and wood (from top left to bottom right): girl reading, Klenkes group, roadsweeper, "Puppet Fountain", figures at Suermondtplatz, horse group and Türelüre-Lißje Fountain – a mirror of the people's soul.

La vie d'Aix-la-Chapelle en bronze et en bois (du haut, à gauche en bas, à droite): personnage lisant, groupe de Klenkes, balayeur, fontaine aux poupées, plastiques sur la Suermondtplatz, groupe de chevaux et fontaine de Türelüre-Lißje – un miroir de l'âme populaire.

Das Münster

Das „Glashaus zu Aachen" nannte man die im 14. Jahrhundert an die Pfalzkapelle Karl des Großen angefügte gotische Chorhalle mit ihrem reichen Figurenschmuck. Der Dom gehört zu den bedeutendsten Bauwerken des Mittelalters.

The Gothic choir hall built onto Charlemagne's palace chapel in the 14th century with its rich ornamentation of figures was called the "Glass-House of Aachen". The cathedral is one of the most significant edifices of the Middle Ages.

La «maison de verre d'Aix-la-Chapelle», c'est ainsi qu'on appelait le chœur gothique avec sa riche décoration de statues qui fut ajouté au 14e siècle à la chapelle palatine de Charlemagne. La cathédrale est l'une des constructions les plus importantes du Moyen Age.

Um das Jahr 800 ließ Karl der Große den kühnen Kuppelbau seiner Pfalzkapelle errichten, den Kaiser Friedrich I. und seine Gemahlin Beatrix im 12. Jahrhundert mit dem berühmten Barbarossaleuchter als Sinnbild des himmlischen Jerusalems zierten.

Charlemagne had the bold domed structure of his palace chapel built around the year 800; the edifice was later adorned with the famous Barbarossa chandelier as a symbol of heavenly Jerusalem by Kaiser Friedrich I and his wife Beatrix in the 12th century.

Charlemagne fit construire vers l'an 800 l'audacieux édifice à coupole de la chapelle palatine. L'empereur Frédéric I et son épouse Béatrice l'ornèrent, au 12e siècle, du célèbre lustre de Barberousse, symbole de la Jérusalem céleste.

Karls des Großen Kaiserthron im Aachener Dom, der „Erzstuhl des Reiches", auf dem seit Otto I. im Jahre 936 die Könige des Mittelalters ihre Herrscherwürde erlangten. Er ist aus antiken Marmorplatten gefügt.

Charlemagne's imperial throne in Aachen's cathedral, the "Archseat of the Empire", on which the kings of the Middle Ages attained their sovereign dignity since Otto I in 936. It is made of antique marble slabs.

Le trône impérial de Charlemagne dans la cathédrale, le «très grand siège de l'empire» sur lequel, depuis Othon I en l'an 936, les rois médiévaux reçurent la dignité de souverain. Il est composé de plaques de marbres antiques.

Den wertvollsten Kirchenschatz nördlich der Alpen birgt die Domschatzkammer. Der goldene Buchdeckel (links) entstand um 1020. Aus der Hofschule Karls des Großen stammt der Buchdeckel mit den Elfenbeinreliefs (rechts).

The cathedral treasury contains the most valuable church treasures north of the Alps. The golden book-cover (left) dates back to around 1020. The book-cover with the ivory reliefs (right) came from Charlemagne's Court School.

La chambre au trésor de la cathédrale abrite le trésor ecclésiastique le plus précieux au nord des Alpes. La couverture de livre dorée (à gauche) date de 1020. La couverture d'ivoire ciselé (à droite) provient de l'école de la cour de Charlemagne.

Ein wahres Glanzstück mittelalterlicher Gold-schmiedekunst ist der Karlsschrein. Seit 1215 birgt er die Gebeine des großen Kaisers. Nach gründlicher Konservierung steht er heute wieder in der Chorhalle des Aachener Münsters.

The Charlemagne Shrine is a genuine pièce de résistance of medieval goldsmith work. Since 1215 it has contained the remains of the great Kaiser. After thorough preservation it can again be viewed in the choir hall of the Aachen Cathedral.

Le reliquaire de Charlemagne est un chef-d'œuvre d'orfèvrerie médiévale. Depuis 1215 il renferme les ossements du grand empereur. Après de minutieux travaux de conservation il se trouve de nouveau dans le chœur de la cathédrale.

Hochschul- und Kongreßstadt

Das Eurogress Aachen (oben) liegt als Kongreß-
zentrum ideal im Kurpark zwischen Quellenhof
und Spielcasino (rechts). Viele Tagungen und
internationale Kongresse festigen Aachens Ruf
als Treffpunkt am Dreiländereck.

Aachen's conference center, Eurogress (above),
is ideally located in Kurpark between Quellenhof
and the Casino (right). The many conferences and
international congresses reinforce Aachen's
reputation as meetingplace at the corner of three
countries.

L'Eurogress Aachen (ci-dessus) est un centre
de congrès idéalement situé dans le parc de
l'établissement balnéaire, entre Quellenhof et le
casino (à droite). De nombreux congrès interna-
tionaux contribuent à la réputation d'Aix-la-
Chapelle comme lieu de rencontre dans le
Dreiländereck.

Die neue Stadtbibliothek (links) und das Kármán-Auditorium der Rheinisch-Westfälischen Technischen Hochschule (oben) machen die Akzentverschiebung von der einstigen Kur- und Badestadt zur Stätte der Bildung, Forschung und Lehre deutlich.

The new Municipal Library (left) and the Kármán-Auditorium of the Rhineland-Westphalian Technical University (above) make the shift in emphasis from the former spa to a site of education, research and teaching evident.

La nouvelle bibliothèque municipale (à gauche) et le Kármán-Auditorium de la Rheinisch-Westfälische Technische Hochschule (ci-dessus) accentuent l'évolution de la ville d'eau de jadis en un lieu de savoir, de recherche et d'enseignement.

Das Hauptgebäude der 1870 eröffneten Rheinisch-Westfälischen Technischen Hochschule Aachen am Templergraben. Inzwischen hat sich die Hochschule mächtig ausgedehnt. An ihr studieren heute rund 35000 Studenten aus 80 Nationen.

The main building of Aachen's Rhineland-Westphalian Technical University, opened in 1870, at Templergraben. The university has expanded considerably since then. Approximately 35,000 students from 80 nations study there today.

L'édifice principal de la Rheinisch-Westfälische Technische Hochschule Aachen sur le Templergraben fut mis en service en 1870. Depuis, cette grande école a pris des proportions colossales. 35000 étudiants de 80 nations y étudient présentement.

Ein Bau der Superlative: Das Klinikum der RWTH Aachen, gleichzeitig Krankenhaus und medizinische Fakultät. Äußerlich dominiert die Technik, innen regiert der Mensch. Hochleistungsmedizin sorgt für internationale Anerkennung.

An edifice of the superlative: The Clinic of Aachen's University, hospital and medical department at the same time. Technology dominates on the outside, man rules on the inside. High-performance medicine provides for international recognition.

Un édifice des superlatifs: le Klinikum de la RWTH Aachen. Il est à la fois hôpital et faculté de médecine. A l'extérieur domine la technique mais à l'intérieur, l'être humain. Une médecine de très haut niveau lui a apporté une réputation internationale.

Zeugnisse der Vergangenheit

Sorgfältig restauriert und konserviert, künden mittelalterliche Torburgen von Aachens großer Vergangenheit als freie Reichsstadt und Krönungsort der deutschen Könige. Links das Ponttor, 1326–1344 als Teil des zweiten Mauerrings gebaut, rechts das Marschiertor, das seit etwa 1300 den Weg zum benachbarten Burtscheid sicherte.

Meticulously restored and preserved, medieval castle entranceway edifices from Aachen's great past as free city of the empire and coronation site of German kings. On the left Ponttor, built from 1326–1344 as part of the second wall-ring, on the right Marschiertor, which safeguarded the way to neighboring Burtscheid beginning around 1300.

Des portes fortifiées médiévales, soigneusement restaurées et conservées, nous parlent du passé glorieux d'Aix-la-Chapelle, ville libre impériale et lieu du couronnement des rois allemands. A gauche, la Ponttor (1326–1344) faisait partie de la deuxième enceinte, à droite, la Marschiertor qui, depuis 1300, gardait la route de la ville voisine de Burtscheid.

26

Alt-Linzenshäuschen an der Eupener Straße, einst Turmwacht des Aachener Reichs an der Ausfallstraße nach Westen, ist heute ein beliebtes Ausflugslokal am Rande des Stadtwaldes.

Alt-Linzenshäuschen on Eupener Straße, once observation tower of the Aachen Empire on the arterial road to the west, is today an inn and popular excursion point on the edge of the Town Forest.

Alt-Linzenshäuschen dans la Eupenerstraße, jadis tour de garde pour la région d'Aix-la-Chapelle sur la route menant à l'ouest. C'est aujourd'hui un lieu d'excursion très aimé à la limite du Stadtwald.

Der Lange Turm an der Turmstraße ist Teil der mittelalterlichen Stadtbefestigung, deren zweiter Mauerring im 14. Jahrhundert gebaut wurde.

Langer Turm on Turmstraße is part of the medieval town fortifications, whose second wall-ring was built in the 14th century.

Le Langer Turm dans la Turmstraße, faisait partie des fortification médiévales. La deuxième enceinte fut construite au 14e siècle.

Der Kerstensche Pavillon entstand 1740 nach Plänen des Stadtbaumeisters Johann Joseph Couven für ein Patrizierhaus im Stadtzentrum. 1907 wurde das Rokoko-Kleinod samt Garten-anlage an den Hang des Lousbergs übertragen.

The Kerstensche Pavilion was constructed in 1740 according to plans of the town architect, Johann Joseph Couven, for a patrician house in the city center. In 1907 the rococo gem was transferred along with the garden grounds to the slope of Lousberg.

Le Kerstensche Pavillon fut construit en 1740 selon les plans de l'architecte Johann Joseph Couven. Cette maison patricienne était jadis située dans le centre-ville. En 1907 ce bijou rococo ainsi que ses jardins furent transportés sur les pentes du Lousberg.

Rotunde des Elisenbrunnens, Wahrzeichen der Kur- und Badestadt Aachen. Die 1827 nach Plänen von Cremer und Schinkel fertiggestellte Brunnen- und Wandelhalle wurde nach den Zerstörungen des Zweiten Weltkriegs original-getreu wieder aufgebaut.

Rotunda of Elisenbrunnen, landmark of the spa of Aachen. The pump room, completed according to plans of Cremer and Schinkel in 1827, was rebuilt true to the original after the destruction of the Second World War.

La rotonde de l'Elisenbrunnen, symbole de la ville d'eaux. La fontaine et la salle des pas perdus, construites en 1827 selon les plans de Cremer et Schinkel, furent détruites pendant la Deuxième Guerre mondiale. L'édifice recon-struit est une copie fidèle de l'original.

Musen und Museen

Zeugnis europäischer Geschichte im Rathaus: Im Roten Saal oder Friedenssaal tagten 1748 die Gesandten, um mit dem „Aachener Frieden" den Österreichischen Erbfolgekrieg zu beenden. Heute dient er als Vorzimmer des Oberbürgermeisters.

Testimony of European history in the Town Hall: In the Red Room or Peace Room envoys met in 1748 to end the Austrian War of Succession with the "Aachen Peace Treaty". Today it serves as anteroom of the mayor.

Un lieu d'une grande signification pour l'histoire européenne: la Salle Rouge ou Salle de la Paix dans l'hôtel de ville. Les délégués chargés de mettre fin à la Guerre de Succession d'Autriche y siègèrent en 1748. Aujourd'hui elle sert d'antichambre du maire.

Der Musentempel mit dem klassischen Säulenportikus von Cremer und Schinkel ist seit 1825 Schauplatz lebendigen Theaters. Oper und Operette, Schauspiel und Musical, Ballett und Experimentiertheater haben hier ihre Heimstatt.

The Municipal Theater with the classicist columned entrance designed by Cremer and Schinkel has been the site of lively theatrical performances since 1825. Opera and operetta, theater and musical, ballet and experimental theater all have their home here.

Le Musentempel avec son portique à colonnes de style classique est une œuvre de Cremer et Schinkel. Depuis 1825 il abrite un théâtre bien vivant. On y présente des opéras, des opérettes, des pièces de théâtre et des comédies musicales.

Haus Monheim am Hühnermarkt, 1786 von Jakob Couven als Apotheke und Bürgerhaus umgestaltet, birgt heute das Couven-Museum. Es zeigt in 26 Räumen typische Beispiele Aachener Wohnkultur des 18. und 19. Jahrhunderts.

Haus Monheim at Hühnermarkt, converted into a pharmacy and town house by Jakob Couven in 1786, today contains the Couven Museum. Displays in 26 rooms show typical examples of Aachen home décor of the 18th and 19th century.

La maison Monheim, sur le Hühnermarkt, reconstruite en 1786 par Jakob Couven pour servir de pharmacie et de maison bourgeoise, abrite aujourd'hui le musée Couven. On y montre, dans 26 salles, des exemples typiques d'aménagement de la maison à Aix-la-Chapelle aux 18 et 19e siècles.

Das sogenannte Gagini-Zimmer des Couven-Museums am Hühnermarkt. Es wurde nach dem 1778 von Pietro Nicolo Gagini im Louis-Seize-Stil geschaffenen Kamin benannt. Der Kamin stammt aus einem im Krieg zerstörten Gutshof.

The so-called Gagini Room of the Couven Museum at Hühnermarkt. It was named after the chimney done in Louis-Seize style by Pietro Nicolo Gagini in 1778. The chimney came from an estate destroyed during the war.

La salle Gagini du musée Couven sur le Hühnermarkt. Elle fut nommée d'après la cheminée de style Louis XVI, œuvre de Pietro Nicolo Gagini, datant de 1778. Cette cheminée provient d'une gentilhommière détruite pendant la guerre.

Um einen modernen Anbau erweitert wurde 1994 das aus dem vorigen Jahrhundert stammende Suermondt-Ludwig-Museum an der Wilhelmstraße (links). Es birgt Kunst aus 3000 Jahren von der Gegenwart bis zur Antike. Berühmt ist seine Sammlung mittelalterlicher Skulpturen, die ihren Glanz in neugestalteten Räumen entfalten können (oben).

In 1994 a modern annex was added onto the Suermondt-Ludwig-Museum on Wilhelmstraße (left), which dates back to the previous century. It contains art from 3000 years dating from antiquity to the present, including a famous collection of medieval sculptures that can unfold their splendor in redesigned rooms (above).

Situé dans la Wilhelmstraße le musée Suermondt-Ludwig datant du siècle dernier a été doté en 1994 d'une aile moderne (à gauche). Il accueille des œuvres d'art de trois millénaires, de l'Antiquité au temps présent. Sa collection de sculptures médiévales est célèbre. Les salles nouvellement conçues leur permet de briller de tout leur éclat (ci-dessus).

In der umgebauten Schirmfabrik Brauer an der Jülicher Straße wurde 1991 das Ludwig Forum für internationale Kunst eröffnet. Es zeigt in wechselnder Folge Teile der zeitgenössischen Sammlung Ludwig und macht in großen Ausstellungen mit Kunstströmungen aus aller Welt bekannt.

The Ludwig Forum for International Art was opened in the rebuilt Brauer umbrella factory on Jülicher Straße in 1991. In alternating sequence it displays parts of the contemporary Ludwig Collection and introduces visitors to art currents from all over the world in large exhibitions.

Situé dans la Jülicher Straße le Forum d'Art international Ludwig, aménagé dans l'ancienne usine de parapluies Brauer, fut inauguré en 1991. Différentes séquences de la collection d'art contemporain Ludwig s'y succèdent et de grandes expositions familiarisent le public avec les courants artistiques du monde entier.

Wichtige stadtgeschichtliche Zeugnisse von der Kelten- und Römerzeit über Karl den Großen und das Mittelalter bis zur Neuzeit birgt das Museum Burg Frankenberg.

The Burg Frankenberg Museum contains important testimonies of the city's history dating from the Celtic and Roman period to Charlemagne and the Middle Ages and up to the modern age.

Le musée de Burg Frankenberg abrite des objets précieux documentant l'histoire de la ville. Ils vont de la période celte et romaine au Moyen Age et à la période de Charlemagne jusqu'aux temps présents.

Burtscheider Impressionen

Der Stadtteil Burtscheid, dessen heiße Quellen schon die Römer nutzten, ist mit seinem Kurviertel eine Visitenkarte der Badestadt Aachen. An die einstige Abtei erinnert das Jonas- oder Abtei-Tor aus dem Jahre 1644.

The city district of Burtscheid, whose hot springs were used by the Romans, is with its spa quarter a calling card for the spa of Aachen. The Jonas or Abbey Gate dating from 1644 recalls the former abbey.

Le quartier de Burtscheid dont les sources chaudes étaient déjà utilisées par les Romains, est, avec l'établissement balnéaire, la carte de visite d'Aix-la-Chapelle, ville d'eaux. La porte de Jonas ou Porte de l'Abbaye, datant de 1644, rapelle l'ancienne abbaye.

Als bedeutendste Barockkirche zwischen Maas und Niederrhein gilt die 1730 von Johann Joseph Couven erbaute Abteikirche St. Johann in Burtscheid.

St. Johann Abbey Church in Burtscheid, built by Johann Joseph Couven in 1730, is considered to be the most significant baroque church between Maas and the Lower Rhine.

L'Eglise de l'Abbaye St. Johann à Burtscheid, construite en 1730 par Johann Joseph Couven, passe pour être l'église baroque la plus importante entre la Meuse et le bas Rhin.

Stadt im Grünen

Einst stand er mitten in Aachen, heute ziert er den Burtscheider Kurgarten: der Couven-Pavillon aus dem Jahre 1740 (links). Der „Pferdeverstand" der Aachener zeigt sich auf den Koppeln rings um die Stadt (oben).

Once it stood in the middle of Aachen, today it adorns the Burtscheid Spa Gardens: the Couven Pavilion dating from 1740 (left). The "horse sense" of the people of Aachen is demonstrated in the paddocks all around the city (above).

Il se dressait jadis au milieu d'Aix-la-Chapelle, il orne aujourd'hui le jardin de cure de Burtscheid: le Couven-Pavillon, datant de 1740 (à gauche). Le «sens du cheval» des habitants d'Aix-la-Chapelle se manifeste sur les enclos qui entourent la ville (en haut).

Der Wallfahrtsort Kornelimünster, heute ein Stadtteil Aachens, gehört mit der Abteikirche und den alten Häusern rings um Benediktusplatz und Korneliusmarkt (oben) zu den beliebtesten Ausflugszielen der Umgebung.

The pilgrimage town of Kornelimünster, today a part of Aachen, is along with the Abbey Church and the old houses all around Benediktusplatz and Korneliusmarkt (above) one of the most popular excursion points in the surrounding area.

Le lieu de pélerinage de Kornelimünster, aujourd'hui un quartier de la ville d'Aix-la-Chapelle, est, avec son église abbatiale et les vieilles maisons de la Benediktusplatz et du Korneliusmarkt (en haut), l'un des buts d'excursion les plus aimés des environs.

Die herbe Landschaft des Hohen Venns im deutsch-belgischen Grenzgebiet bei Aachen entfaltet ihre Reize zu jeder Jahreszeit. Hier kann man sich vom Streß des Alltags erholen.

The austere landscape of Hohes Venn in the German-Belgian border region displays its charms in every season. Here one can relax from the stress of everyday life.

Le paysage rude des Hautes Vagnes, dans la région frontière belgo-allemande, déploie ses attraits en toutes saisons. On peut s'y reposer du stress de la vie quotidienne.

Die Höhen und Täler der Eifel mit ihren kleinen Dörfern sind ein von den Städtern geschätztes Naherholungsziel mit eigenem Charakter. Die Aachener wissen, was sie an ihrer Stadt, aber auch, was sie an ihrer Umgebung haben.

The hills and valleys of the Eifel region with their small villages from a nearby site of recreation with its own character that is appreciated by the town residents. The people of Aachen know what they have in their city as well as in the surrounding area.

Les monts et les vallées de l'Eifel avec leurs petits villages ont un caractère propre et sont un but d'excursion aimé des citadins surmenés. Les habitants d'Aix-la-Chapelle savent apprécier leur ville mais aussi ses alentours.

Chronik

1.–4. Jahrhundert
Die Römer bauen Badeanlagen und Kultstätten an den heißen Quellen in Aachen
Nach 790
Baubeginn der Pfalzkapelle
814
Tod Karls und Beisetzung in der Pfalzkapelle
936
Otto I. als erster König in Aachen gekrönt
1330–1346
Umbau der ehemaligen Palastaula zum Rathaus
1414
Einweihung der gotischen Chorhalle
1656
Großer Stadtbrand vernichtet 4664 Häuser
1671
Blondels Schrift über Heilkräfte der heißen Quellen
1748
Aachener Friedenskongreß zur Beendigung des Österreichischen Erbfolgekrieges
1792–1814
Aachen unter französischer Verwaltung
1818
Monarchenkongreß zur Neuordnung Europas
1841
Eisenbahnlinie Köln–Aachen eröffnet
1870
Rheinisch-Westfälische Technische Hochschule
1925
Erstes Reit-, Spring- und Fahrturnier
1950
Internationaler Karlspreis gestiftet
1951
Erster Orden wider den tierischen Ernst
1972
Aachens Einwohnerzahl wächst durch kommunale Neugliederung auf über 240000
1976
Aachen erhält wieder ein Spielcasino
1977
Konzert- und Kongreßhalle Eurogress eröffnet
1978/79
Wiederaufbau der zerstörten Rathaustürme
1983
Erste Operation im neuen RWTH-Klinikum
1988
Beschluß zum Umbau der Schirmfabrik als Forum für internationale Kunst
1991
Eröffnung des Ludwig-Forums für Internationale Kunst in der ehemaligen Schirmfabrik an der Jülicher Straße.

Chronicle

1st to 4th century
The Romans built baths and places of worship at the hot springs in Aachen
after 790
Beginning of the construction of the palace chapel
814
Death of Charlemagne and burial in the palace chapel
936
Otto I crowned as first king in Aachen
1330–1346
Conversion of the former palace hall into Town Hall
1414
Consecration of the Gothic choir hall
1656
Great city fire destroys 4664 houses
1671
Blondel's writing about the healing powers of the hot springs
1748
Aachen Peace Congress for the ending of the Austrian War of Succession
1792–1814
Aachen under French administration
1818
Monarch Congress for the reorganization of Europe
1841
Railway line Cologne–Aachen opened
1870
Rhineland-Westphalian Technical University
1925
First riding, jumping and track competition
1950
International "Karlspreis" (Charlemagne Prize) established
1951
First order against brute earnestness
1972
Aachen's population grows due to communal reorganization to over 240,000
1976
Aachen again receives a gambling casino
1977
The concert and congress hall Eurogress is opened
1978–1979
Rebuilding of the destroyed Town Hall towers
1983
First operation in new RWTH Clinic
1988
Decision to convert umbrella factory into Forum for International Art
1991
Opening of Ludwig Forum for International Art in the former umbrella factory on Jülicher Straße.

Histoire

Du Ier au IVe siècle
Les Romains établirent leurs bains et leurs sanctuaires à l'emplacement des sources chaudes d'Aix-la-Chapelle
Après 790
Construction de la Chapelle palatine
814
Mort de Charlemagne enterré dans la Chapelle
936
Otton I est le premier roi à être couronné à Aix-la-Chapelle
1330–1346
L'ancienne salle des fêtes du palais est transformée en hôtel de ville
1414
Consécration du chœur gothique
1656
Grand incendie qui détruit 4664 maisons
1671
Écrits de Blondel sur les vertus médicales des sources
1748
Le traité de paix conclu à Aix-la-Chapelle termine la Guerre de Succession d'Autriche
1792–1814
Aix-la-Chapelle administrée par les Français
1818
Congrès des souverains pour la réorganisation politique de l'Europe
1841
Ouverture de la ligne de chemin de fer Cologne–Aix-la-Chapelle
1870
Etablissement d'Université Technique de la Rhénanie-Westphalie
1925
Premières compétitions hippiques
1950
Fondation du «Karlspreis»
1951
Fondation de l'ordre «wider den tierischen Ernst»
1972
La réorganisation communale fait passer le nombre des habitants d'Aix-la-Chapelle à plus de 240000
1976
Aix-la-Chapelle obtient de nouveau un casino
1977
Ouverture de l'Eurogress
1978–79
Reconstruction de la tour de l'hôtel de ville
1983
Première opération dans le nouveau RWTH-Klinikum
1988
Décret pour la transformation de l'usine de parapluies en un forum international d'art
1991
Ouverture du Ludwig-Forums für Internationale Kunst dans l'ancienne fabrique de parapluies de la Jülicher Straße.